- 埃尔热 -

丁丁历险记

月球探险

中国少年儿童新闻出版总社
中国少年儿童出版社

casterman

北 京

图书在版编目（ＣＩＰ）数据

月球探险／（比）埃尔热编绘；王炳东译. -- 北京
：中国少年儿童出版社，2009.12 (2013.9 重印)
（丁丁历险记）

ISBN 978-7-5007-9448-6

Ⅰ.①月… Ⅱ.①埃…②王… Ⅲ.①漫画：连环画
—作品—比利时—现代 Ⅳ.①J238.2

中国版本图书馆 CIP 数据核字（2009）第 199486 号

版权登记： 图字：01-2009-4012

YUEQIU TANXIAN

出版 发行：中国少年儿童新闻出版总社
中国少年儿童出版社

出 版 人：李学谦
执行出版人：赵恒峰

作 者：埃尔热		译 者：王炳东
责任编辑：白雪静		中文排版：王海静
责任校对：杨 宏		责任印务：杨顺利

社 址：北京市朝阳区建国门外大街丙 12 号楼 邮政编码：100022
总编室：010-57526071 传 真：010-57526075
发行部：010-57526568
ｈｔｔｐ：//www. ccppg. com. cn
E-mail：zbs@ccppg. com. cn

印刷：北京盛通印刷股份有限公司

开本：720×950 1/16 印张：4
2009 年 12 月第 1 版 2013 年 9 月第 7 次印刷
印数：111001－136000 册

ISBN 978-7-5007-9448-6 定价：12.00 元

月球探险

第一枚登月火箭刚刚从西尔达维亚的斯波罗吉原子研究中心发射，载有乘客丁丁、米卢、阿道克船长、向日葵教授和工程师沃尔夫。①地面人员通过无线电频频呼叫升入太空的火箭上的乘客。他们焦急地等待着升空人员从火箭发射引起的昏迷状态中苏醒过来。观测站的天线一直处于工作状态，但始终没有收到任何信号……

喂，喂，地球呼叫登月火箭……请回答……喂？喂？……

天哪，要是我们的测算数据有点儿小差错！……后果将不堪设想！

喂，喂，登月火箭听到了吗？……

而这时在离研究中心很远的地方，有两个陌生人也在收听……

喂，喂，登月火箭吗？……请回答……

如果他们都死在火箭上，那我们的计划就要落空了，真该死！

①原注：参见《奔向月球》。

喂,喂,地球呼叫登月火箭……请回答……请回答……

喂,喂,这是地球……请回答……

汪!汪!

狗的叫声……是他们的狗在回答!

丁丁!……丁丁!快醒醒!

啊!他听见了!

米卢!……你能不能……我这是怎么啦?……啊!我想起来了……火箭发射时,那种强烈的压迫感……我一下子昏过去了!……

喂,喂,登月火箭吗?……喂,这是地球……请回答!……

地球!地球在呼叫我们!

喂,喂,这是登月火箭……是丁丁在跟你们说话……我刚刚醒过来……我这就去看看其他人情况怎么样……

我很好,谢谢……该死,你不会是来告诉我说,我们正在奔向月球吧?……

喂,这是登月火箭……船长刚醒过来……他……啊!教授也醒过来了!……

……还有沃尔夫!我们都安然无恙……喂,喂,请告诉我们现在的位置在哪里?……

喂,这是地球……你们此刻离地球4,000公里……你们的飞行轨道符合预定的测算……

离地球4,000公里!……诸位,你们意识到了吗,我们可是正在经历一场非同寻常的探险?……太不可思议了!……太令人头晕目眩了!……太……

总之,昏了头的,可不是我!……这一切,都是开玩笑、恶作剧!……这回你又瞎胡……嗯!……你又要耍弄我了!……

啊!你还持怀疑态度?……好吧,到上面去看看……来呀……

我的天哪!……瞧!怎么回事?

呦!你们都在这儿?……发生什么事了?……地震了?……

是你们!……老天爷!你们是从哪儿冒出来的?……

从底舱上来的,我们决定在发射前守护火箭。现在几点了?……

几点?……凌晨2点!……

哦!很好!……规定发射时间还是1点34分?……还早着呢……

还早着呢!……你们真糊涂!半小时以前,火箭已经离开地球了!……我们正在奔向月球……

哈!哈!哈!你真会开玩笑!……我们这位可爱的教授一说话总能把人逗乐!

确切地说:哈!哈!哈!

喂,喂,这是地球……你们此刻离地球有8,000公里……你们的速度是每秒11公里……

这……这是开玩笑吧?……你们想吓唬我们?……发射的时间不是定在1点34分吗?

凌晨1点34分,是的!……不是13点34分!……

凌晨1点34分?……不是13点34分?……天哪!我们一直以为是下午1点34分!……

喂,喂,登月火箭在呼叫!报告一个惊人的消息:杜邦和杜庞都在火箭上!……他们决定在火箭上过夜,以为发射时间定在下午1点34分!……

只是这样给我们提出了一个严重的问题:我们的氧气储备是供四个人用的,而现在火箭上有六个人,还不算米卢……我们的氧气能不能支持到最后呢?……

听见了没有,你们这两只侏罗纪的恐龙?……都怪你们,这把年纪了,连1点34分和13点34分都搞不清楚!

无论如何,我都得上去自己来驾驶火箭

该死!为了节省氧气,他们禁止我抽烟,连抽一小袋烟斗也不行。而你们呢,却跑到这里来大口大口地吸掉氧气!一想到这儿,我怎能不生气!别这样装模作样地假哭了,那会产生二氧化碳的,你们真该受到天打雷劈!……啊!我恨不得把你们两个统统扔到外头去!

呦!你们快来看吧,朋友们!……快来看!……

出了什么事？……

过来！……过来通过变频潜望镜欣赏一下这个，这可是在我们之前人类从未领略过的景象！……

这是从10,000公里以外的太空看到的地球，我们可爱而古老的地球！……

看到了如此壮观的景象，可以去死了！……

呃！……的确如此……不过，希望你不要介意，从我个人来说，我还不急于去死呢！……

这也是一种看法……现在，由我来操纵火箭驾驶台了……

喂，登月火箭呼叫！……我是向日葵教授……我已经重新回到驾驶台……火箭上一切正常……

该死！别再唉声叹气了！……你们行行好，快上去吧，别碍我的事！……我现在要认真工作了！……

去吧，快！……再快一点儿！

除非我叫你们，千万不要自作主张跑下来。明白了吗？……

的确如此！……学习这一类的学问，得要静下心来才行……

天文学概论

我要学古罗马人勇敢拼杀的精神，开始战斗！……我要工作了！……

喂，喂，这是地球……你们刚刚达到了每秒13公里的速度，因而你们已经摆脱了地心引力……

现在可以开始了！……先学习第一章……

啊啊啊！我觉得已经学到一点儿东西了！……

加油，阿道克！……接下去学第二章！……

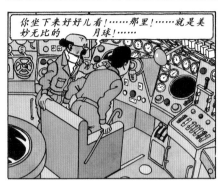

你坐下来好好儿看！……那里！……就是美妙无比的月球！……

什么！这就是月球？……这个布满小窟窿的庞大球体？……

真是不可思议！……你快来看这个，杜庞！

当心！你的手杖被钩住了！……看在上帝的分上，千万别往下拽！……哎呀！

与此同时，在下一层……

敬……敬你们一杯，上……上面的人！

见……见鬼！……我的威……威士忌酒变成了小……小球，这是不可……可能的！……我是不是喝……喝多了？

好了，威士忌，别……别恶作剧了！滚……滚回到杯子里……快呀！

喝多还是没有喝……喝多……我的好威士忌是不会这样作弄人的！……快，立刻回到里……里面去！

喂，喂，地球呼叫！……出了什么事？……你们为什么关闭了原子能发动机？……

喂，喂，这是登月火箭！……那是因为两位警察当中的一位不小心把发动机的操纵杆给扳了下来……不过，它刚才又重新启动了……

奇怪！我们可是抓得很紧呀！……

可是你们抓的是什么呀？……

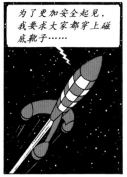

为了更加安全起见，我要求大家都穿上磁底靴子……

教授说得很对……有了这双靴子，万一由于某种原因，发动机又被关闭了，我们的脚就可以紧紧贴住舱里的地板，而不会像气球那样到处飘动！

我没做梦！天哪，我发誓，这是阿多尼斯！

谁是阿多尼斯？……是你住在这一带的朋友？……

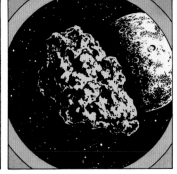

阿多尼斯小行星是在火星和木星之间运行的古老星球的碎片……直径约为700米，是体积巨大的岩体……到我这个位置来看一看……我去换上磁底靴子……不过，求你了，千万别碰什么东西！……

好了，都穿上了……可是，怎么还会剩下一双呢？……难道有人没有穿上靴子？……

糟糕！是船长！……他还留在下面，我这就给他送去……

喂，我的好米卢，把你折腾得够呛吧？……

啊！丁丁，你来了！……要是你知道我碰上的事就好了！……

船长呢？……船长在哪儿？……我……哦！桌上那张纸是什么呀？……

天哪！……真不敢相信！……他疯了！……快，拿去给教授看一看！……

见鬼！幸好我穿上了这双靴子！……发动机又被关闭了！这回又是怎么搞的？……

你看，丁丁，又来了！……

喂，喂，这是登月火箭……不知是什么原因，外舱门刚被打开了，原子能发动机自动关闭了……我这就去检查一下……

这就是原因！……你念一下我刚才在下一层桌子上找到的这张便条。

"我已经厌倦了你们这枚该死的火箭！我回莫兰萨去了。"下面是阿道克的签字！……见鬼！那么是他把……他是不是疯了？

疯了？不会……我更相信他是威士忌喝多了才会这样！……无论如何，都要把他找回来。如果你允许，我就去穿上太空服，跟着他到舱外去……

我同意。

一会儿以后……

喂，喂，我是登月火箭……阿道克船长一时冲动冲出了火箭，进入了太空。为了救他，丁丁也出舱了……

啊！他在那里！

喂，船长吗？……喂，你能听见我叫你吗？……

咕咕，是我呀！

当然，我……我听见了……你……你能听见我说话吗？……飞呀……飞呀，飞呀……你看到了吧：我变成了一只小燕子……

喂，喂，教授，我是丁丁……我看见船长了。他在离火箭10米以外的地方漂浮，运动的速度跟我们一样。我会尽力把他弄回到火箭上来。

好的。

把……把我弄回到你们那个会飞的大雪茄里面？……休……休想！我要回……回莫兰萨去！

可是……糟了……天哪，我没看错！……

哦，不，我没看错！……他离火箭愈来愈远了！……

可怜的船长！……我明白了：是阿多尼斯小行星把他吸引到它的轨道上……他这下完了！

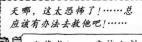

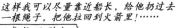

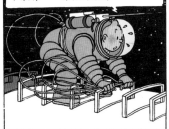

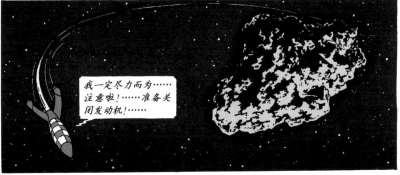

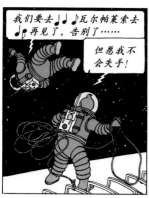

天哪，好大的冲击力！……千万不要把绳子扯断了！

喂，喂，我是丁丁！……绳子吃住劲儿了！……

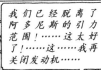

我们已经脱离了阿多尼斯的引力范围！……这太好了！……这……我再关闭发动机……

我们得救了！……我们又恢复到自由漂浮的状态！……

来吧，别浪费时间了！快回到舱里去！……

你能不能放开我，该死的家伙！……

你……你干吗要干涉我的事，嗯？……我已经是……是大人了，完全知道自己要干什么！……我要回家去，回家，知道吧！……我再也不愿意在火箭里跳什么闹步舞。在那里，威士忌酒变成了小球，而我们总有一天会把手脚　　都摔断的！……

你给我闭嘴！你疯狂的行为差点儿送了我们大家的命，包括你自己！……现在，你已经闹过了！……你马上回到舱里去！……今后，一定要表现得好一点儿！……知道吗？

好了，走吧！要是让我发现你再喝酒，小心我叫人把你的手脚戴上镣铐，一直到飞行结束！……

过了一会儿……

喂，喂，这是登月火箭！……丁丁和船长两人安然无恙，他们刚回到舱内……我们将重新启动发动机……

我……我真浑……我喝多了……做出了这种事，太不应该了……我……我请你们原谅。

好了！……别再说了，不过……

哎哟！

怎么啦？……又出了什么事？……

丁丁！……丁丁！快来！……好大的黄色毛毛虫！……

⑪

那儿！那儿！你看！……

!

呜

没错，不是别的，是毛发！……

毛发！……

?

是毛发！见鬼！是那两位警察。

警察？……你这是什么意思？

唉！这正是我所担心的：他们的老毛病又复发了！……①

是的，旧病又复发了……我们以前见到过的那些症状又出现了……他们已经吃了对症的药……还要等一段时间才能见效……

这两个蠢货总是喜欢丢人现眼！……

可怜的朋友！……你们一定感到很难受，是吧？……

还算幸运，一点儿也不……

哎哟！……哦哟！……呜哟！哦哟！哎哟！……

?

一定是米卢！……

米卢！别闹了，好不好？你不听话？……好，争着瞧吧！

你要干什么？……

去拿一把剪刀！

就这样！……

①原注：参见《黑金之国》。

现在，在等待吃下的药起作用之前，我先把你们这一大把厚厚的毛发剪下来……我们到下面去，那儿更方便一些……

把剪刀给我吧！我要亲自给这一对美利奴羊剪毛！

啊？……那好吧……

喂，喂，这是地球！注意啦！注意啦！……

你们的速度已经达到每秒45公里……20分钟以后你们将要进行火箭翻转操作！

明白。我们听候你们的指示。

这下火箭要来个翻转飞行！……这又是什么杂技的新花样？……干吗不来个空中翻跟头，或者打个滚儿，要么来个螺旋下降，嗯？……

等一等，我来给你解释。

嘟……嘟……

嘟……嘟……嘟……

这是什么声音？……

这个？……是雷达传来的信号，警告说有颗巨大的陨星向我们飞过来了……

嘟……嘟……嘟

我们马上就会知道，我叫人在火箭上安装的自动系统是不是运转正常。

你怎么知道它在运转呢？

嘟……嘟……嘟……

哦，这很简单……如果一切如我所料，这个由雷达控制的自动系统将作用于方向操纵装置，从而避免火箭与陨星相撞。

否则会怎样？……

否则……

嘟……嘟

否则，那就更简单了。我们将跟陨星相撞，而我们每个人都会落个粉身碎骨的下场！

嘟……嘟……嘟……

你们放心好了，我们过一会儿就知道了！……

哦哟！……危险过去了！……我松了一口气！……我现在可以向你们坦白承认，我刚才真的吓得要死。

我们真的会被撞得粉身碎骨吗？

光是这样就好了！……事情还要严重得多！……是的，我现在可以告诉你们了，幸好我预想的方案实现了，要不然，我还得把所有的测算，从头儿来一遍！……

一会儿以后……

如果以后有人问我："你在火箭上担任什么工作呀？"我会回答说："我吗？我是一个见习理发师！"……

剪掉你们这头蓬乱的毛发，用剪刀不行……

……真该死！得用修枝刀！或者是割草机！……

哦哟！总算剪完一个了！……现在，该轮到下一位先生了！……什么？……陛下不满意？……

哈！哈！哈！哈！……可怜的老弟，你照照镜子看看自己！……

你还笑！……笑吧！如果你认为自己比你那位高贵的同事还更聪明一点儿的话，那你就大错而特错了！……

天打雷劈！要是你们能够搞清楚下午1点和凌晨1点之间的区别，这一切本来是不会发生的，真该死！……

好了！……剪完了！……看看我的手！……都磨起泡了！……

怎么，又怎么啦？……这位先生要挑毛病了？……你还要怎样？……再给你做个波浪式的发型？……或者说，要我给你别上几个发夹？……

哦！

啊！你看他！……

哈！哈！哈！哈！……可怜的老兄，你照照镜子看看自己！……

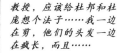

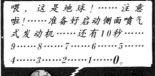

喂，这是地球！……注意啦！……准备好启动侧面喷气式发动机……还有10秒……9……8……7……6……5……4……3……2……1……0。

注意啦！……准备好关闭侧面喷气式发动机……还有10秒……9……8……7……6……5……4……3……2……1……0。

注意啦！……准备好重新启动主推动器，还有10秒……9……8……7……6……5……4……3……2……1……0。

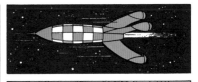

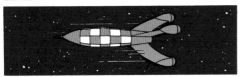

喂，喂，登月火箭呼叫！……翻转操作……

顺利完成！……

……火箭保持当前的位置可以逐步减慢飞行速度，并且安全地登上月球……

很好，继续努力吧……祝你们顺顺利利地在月球上降落！哈！哈！哈！……

告诉我，老板，你真的相信他们会登上月球吗？

嘿嘿，我想他们会的！……至于说，他们能不能从月球回来，那就是另外一回事了！

呃……我不太明白……为什么？……是不是

嘘！绝对机密！你以后会明白的！啊，他们的无线电又开始呼叫了。

喂
喂

这是地球。火箭离发射场有240,000公里。你们还有136,200公里的航程……你们的飞行轨道完全符合预定的测算。飞行速度正在逐步下降。

过了几分钟……

喂，喂，这是地球……你们只剩下50,000公里的航程了。40分钟以后，你们要校正自动导航装置，以便在月球的预定地点着陆。

喂，喂，这是登月火箭……明白。我们先去吃一些点心，然后作好火箭着陆的准备。

是的，各位先生，如果一切正常，我们的火箭将在半个小时以后在月球上我预先选定的地点降落，那个地方叫喜帕恰斯圆谷……谢谢你，丁丁。

公园马戏团？①……这太好了！我们好久没去马戏团看表演了，是吗，杜邦？

是的，真棒……我以前不知道月球上还有一个马戏团！……你知道吗，船长？

你问我知道不知道？……当然……谁都知道这个！……我甚至还听说他们需要两个小丑……而你们完全符合条件！

先生们，月球上的"圆谷"指的是以群山形成的屏障环绕的圆形平地……其数量大概有30,000之多……其中最小的直径只有几百米，最大的叫莫罗利居斯圆谷，直径为241公里。

我们登月的落脚点喜帕恰斯圆谷直径达到156公里，位于乌云海、玉液海和雾海之间。

见鬼！要做到不让火箭掉到水里，降落时一定要很准确！

你们放心吧，这些海里一滴水也没有。那是因为古人在月球上发现了一些黑影，误以为是海，并且给它们取了这样的名字，何况，我……

啊！不，不，不！……事情不能就这样了结！

①译注：在法文里，"喜帕恰斯圆谷"的"帕"和"公园"谐音；而"圆谷"和"马戏团"则是同音异义词。

⑱

上帝呀，这是怎么回事？……

这是……这是因为，这个家伙辱骂了我们。我们要求他道歉！……

我，我辱骂了你们？我？……

是的，就是你，先生！……你是不是说过公园马戏团需要两个小丑，而我们完全符合条件去干这个工作？……这难道不是辱骂我们？……

完全正确！……这个家伙向我们道了歉，我们要求他辱骂！……

不是这样，你这个大笨蛋！……你说颠倒了！……

哦？……我……的确，我们辱骂了这个家伙，我们应该向他道歉！……

好了！算了！……我收回我说过的话！……喜帕恰斯圆谷不需要两个小丑，你们因而不可能符合他们的条件！……你们满意了吧？

我们很满意……

确切地说，我们很满意！……

很好，这样很好……公园马戏团不需要两个小丑，因而……

因而，我们不可能符合他们的条件！……这很清楚，不是吗？……

诸位，我恳求你们都安静下来！……第一批登上月球的人是不是一开始就要在那里撒下不和谐的种子？……

诸位，求求你们了，不要忘记我们的生命危在旦夕！……请保持我们的冷静……让我们友好相处……不要动不动就发火……好吧，各位先生，你们和解吧！……接着，每个人都回到各自的床铺去……

回到各自的床铺去？……可是，教授，我们是六个人，却只有四张床铺……当然，我可以把我的位置让出来，给这两位先生当中的一位，可是……

这不行！……

你的位置，不是别的，就是守在无线电旁边。你要尽可能长时间地跟地球保持联系……至于这两位先生，让我来安排吧……

这里有两个备用的床垫，你们拿去，铺在地上，然后睡觉。

哦！谢谢你的好意，可是我们不困！……

不管你们困了还是不困，我要你们去睡觉！真见鬼！……这是命令！你们听见了吗？……这是命令！……

我呢，我该去跟沃尔夫一起作好登月的最后准备工作……

喂，喂，这是地球……注意啦！请作好准备……请作好准备……你们距离月球只有6,000公里了……

⑲

喂，喂，我是登月火箭……明白……我们正在作最后的准备工作……教授此刻正在校正自动导航装置……

再向东7度……不，太多了……向西调1度，沃尔夫……行了！就这样！……现在火箭正在向喜帕恰斯圆谷的中心飞过去……

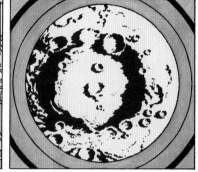

米卢！……过来！……

你看，你在这里……

我们？……是这样，我们按照教授的吩咐要去睡觉了！可是，我跟我的同事都很讨厌和衣睡觉……

……会觉得好受一些，当火箭……喂，你们两位在那里干什么呀？……

真该死！不是叫你们去睡觉，你们这两个头号大笨蛋！是叫你们趴下！如此而已！……

快去趴下，你们这两个自视甚高的小丑！……要是教授发现你们还站着，他会有办法把你们丢在一个荒凉的行星上！……这不，他来了！……

哦！大家都趴着，好极了！……轮到你了，沃尔夫！……

喂，喂……一切正常……我们准备好了……自动导航装置已经调到喜帕恰斯圆谷的中心位置……我们都趴在床上，等待着……

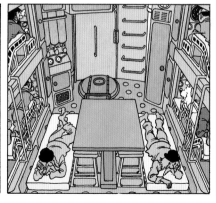

喂，这是登月火箭……原子能发动机刚刚关闭，现由辅助发动机来取代工作……

真是不可思议！……真是壮观！……真是令人难以置信！谁会想到，几分钟以后，我们要么在月球上行走，要么全部死光。这太美妙了！……

情况很不正常！……我们已经持续呼叫了半个多小时……一直没有回答！——再试一试！……

喂，喂，这是地球……呼叫登月火箭……

喂，喂，这是登月火箭！这是登月火箭！……呼叫地球，呼叫地球……

活着！……他们还活着！

好哇！……

我是向日葵，我从月球上向你们报告！！！……胜利了！……胜利了！……我们都平安无事！……我们没有办法早点儿跟你们联络，是因为进成火箭摇晃的震动使无线电出现了故障……喂，你们听见我的话了吗？……

听见了！……可是震动似乎还没有停止，我们在这里都听到了，是一种奇怪的呼呼声……

我……嗯……不，这没什么，别担心！……你们听见的是两个警察在打呼噜的声音！……他们还没有醒过来！……

呼

呼

现在，我们要走出火箭了！……我们把这个荣誉给予了我们当中最年轻的人，丁丁被指定为第一个在月球上行走的人！……他刚刚下去穿太空服……他本人将通过通话机直接向你们描述最初的印象……我现在就让你们跟他通话……再见……

喂，喂，我是丁丁！……我刚穿上了太空服，到了减压舱，舱里很快就会变成真空状态……是阿道克船长负责这项操作……我在等待他最后的指示……

喂，喂，我是船长……现在气压为零……活动舷梯已就位……你准备好了吗？注意！我要打开舱门了！……

庄严的时刻……外舱门的铰链开始慢慢地转动……

啊呀！……

？

？

啊呀！多么奇幻的景象呀！

这一切……我该怎么向你们描述呢？……噩梦一般的景象，死亡的景象，荒芜得令人感到可怕……没有一棵树，没有一朵花，没有一根草，没有任何飞鸟，没有一丝声音，甚至没有一朵云彩……天空是一片漆黑，有成千上万颗星星

……不过它们都静止不动，像凝固了似的，不像我们从地球上看到的那样闪闪发光，显得那么充满生气！……

我现在顺着火箭一侧的舷梯走下去……

就差几个阶梯了……还有3个……还有2个……还有1个……我下来了!

我登上月球了!……我走了几步!……这是有史以来,人类第一次在月球上行走!

我再也不是孤单一个人了……船长也跟着我下来了……

我登上月球了！……太奇妙了！我在月球上漫游……我行走……我跑步……我跳跃……

见鬼！……我怎么跳得这么高呀！

哈！哈！哈！你知道吗，船长，月球上的引力，确确实实是地球上的1/6！……

天打雷劈！真气人，这一点我是知道的……可却把它忘得一干二净！

看那里！……地球！……我们美好而古老的地球。在我们看来，它似乎要比我们从地球上看到的月球大4倍。

但愿我们有一天会回到地球去！

喂，丁丁……米卢去找你了……我接着也要下去。

汪汪！

你看，没有什么好紧张的。

我才不紧张呢！

不管怎么说，能活动活动腿脚，我还高兴呢！

见鬼，我怎么也像蝴蝶一样飞起来了！

登上月球了！真没想到，我们居然能在月球上悠闲地散步！……这个向日葵，真是个了不起的人物！

怎么回事?……
难道地震了?……

倒不如说是月震,
可是……

天哪!……你看!……

天打雷劈!……
这是什么东西?
……

是一颗陨星!……它正
好坠落在我们刚才走过
的地方!……它随后就
爆炸了!……

它爆炸了?……可我什
么也没听见呀!

当然,因为月球上没有空气,所以没有
声音!……也正是出于同样的原因,这
颗陨星坠落月球表面时,依然完好无
损……然而,在我们地球上,空气的摩
擦会把陨星在落地之前烧红,从而产生
了我们通常称之为"流星"的现象……

总之,月球旅游推广处的
那些家伙,如果他们认为
以这种方式来接待客人就
可以发展旅游事业,那就
大错而特错了!……

啊!我的朋友们!……太了不起了!……
太美妙了!……我们登上月球了!……你
们知道这意味着什么吗?!……

哟!你也来了!……

你来看看这个!……就差那么一
点点,你可以把我们的回程票
收回去,随便处理好了!

一颗陨星!……
太好了!……

哦!你还说这太好了!……要
知道,我们差点儿像无花果
那样被砸扁了!……

那又有什么法
子?……这可是职业
风险!……

该死!告诉你,这可不是我的职
业!……我是海员,你这个天打雷
劈的!……在海上,我起码不必担
心什么时候会有东西从天上掉下
来砸我的头!……

你说得也许有道理!……那你就
试试看,乘船来月球!……

何况,这不是问题所在……现在最
重要的是干活儿!首先,要把有关
设备卸下来,我们马上动手干。沃
尔夫已经作好准备了……

我不知道他还在等什么!……
喂,沃尔夫吗?……我是向日
葵吗?……喂?……喂?喂?……

天哪,出了什么事?
……舷梯!……舱门!
……你看,船长!

舷梯收回去了！……舱门也关上了！……真是的！……这是什么意思？……

喂，沃尔夫？……

喂，喂，沃尔夫？……该死！你在上面干什么呢？……喂，喂！……喂，沃尔夫？天打雷劈！你怎么不回答呀？……

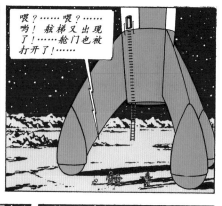

喂？……喂？……哟！舷梯又出现了！舱门也被打开了！……

喂，沃尔夫，你真的把我们吓死了！……就好像突然间火箭要飞回地球，而把我们抛弃在这个迷人的地方不管了！……

我请你们原谅……我……操作失误……我真笨！我真粗心……

好了，好了，别再说了！……现在，沃尔夫，我们要卸下设备了……船长会上去帮你的忙，把箱子从货舱里搬出来……我和丁丁留在这里……

你的工作很简单……每个箱子都是用钢绳捆着的，并且跟一个中心铁环连接在一起……你只要把铁环固定在滑车的吊钩上就可以了……

明白了！……我这就到沃尔夫那里去……

喂，喂，这里是登月火箭……向日葵报告……设备的卸载工作刚开始……一切正常……

几小时以后……

可以了……有关设备，我们很快就可以卸完了……但我们还得卸下坦克……

喂，船长吗？……下一个箱子，来吧！……

……当心！快闪开！

⸨28⸩

你能不能给我解释一下，年轻人，你开这个愚蠢的玩笑是什么意思？……

该死，罪该万死！你倒是应该感谢丁丁才对……要不是他，你早就被砸成肉酱了！……

你看，教授，我把你推开没错吧？

钢绳断了，你看，绳子被磨损了。这一定是我们着陆时火箭震动造成的。

好了，我们还算幸运！船长，我们接着干，好吗？……但是，这回你一定要检查一下钢绳……

那还用说！……我会加倍小心的！

沃尔夫，我们继续……老天爷，沃尔夫，你怎么啦？！……

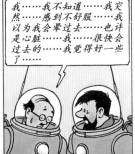

我……我不知道……我突然，感到不舒服……我以为我会晕过去……也许是心脏……我……很快会过去的……我觉得好一些了……

放心吧，沃尔夫，你可能只是太累了。而且，你的氧气输出量也可能没有调节好。你去休息吧，其他的人也都要回去休息一会儿。

片刻以后……

登月火箭呼叫……我们刚回到了火箭，稍微休息一下。这段时间，轮到那两位警察出去查看外面的情况。

真没想到，我们的双脚踩在月球上了，还从来没有人接触过月球表面呢！

嗯！……可谁知道是不是这样？……

站住！老兄……站住！

嗯?……看到了吧?……我刚才说什么来着!

脚印!……除了我们之外,月球上还有别人!

喂,喂!我是杜邦的邦。喂,喂!我呼叫登月火箭。

喂,喂!我是向日葵。请讲。

喂,喂!我们有个惊人的发现……你听见了!惊……人的!你听好了:月球上有人!

你胡说些什么呀?除了我们以外,还有其他人?……去你的吧!

确实是真的。我们发现了一些脚印!……

脚印?见鬼去吧!这肯定是我们当中的一个人留下的脚印。

不可能是我们当中的一个,有两排平行的脚印!

说得很对!

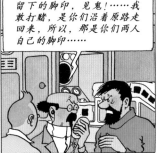

那么就是我们当中的两个人留下的脚印,见鬼!……我敢打赌,是你们沿着原路走回来,所以,那是你们两人自己的脚印……

啊呀!你听见了吧?会不会就像我们在沙漠里开吉普车原地兜圈子的情况?①

绝对不可能!因为有两排脚印,而我们可是单独在一起的呀!

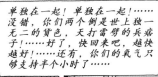

单独在一起!单独在一起!……没错,你们两个倒是世上独一无二的货色,天打雷劈的兵痞子!……好了,快回来吧,越快越好!……还有,你们的氧气只够支持半个小时了……

好吧,好吧,我们这就回去……既然你们看不上我们在科学上合作的态度……

这也许很可笑,可是我在想……他们看见的脚印……如果真的在月球上还有其他人呢?……在你看来,这是绝对不可能的吗?

不可能吗?从理论上来讲,不是不可能的。如果我们能够成功地到了这里,其他的人也一样办得到。不过,就我而言,我确信我们是唯一的、第一批登上月球的人。

啊!是这样……

这方面,他们爱怎么说就怎么说吧。将来会证明到底是谁对谁错!

是的,是的,耐心等着吧!

①原注:参见《黑金之国》。

㉛

诸位，我们原来打算在月球上待上一个月球日，这相当于14个地球日……可是我们的氧气供应只是为四个人和一条狗，而不是为现在的六个人准备的……所以我们不得不把我们停留在月球上的时间缩短为十天。

因此我们要加快工作进度。我和沃尔夫去安装观测仪器的时候，丁丁和船长负责把坦克的零部件卸下火箭，然后进行组装。大家同意吗？好，没有意见。先生们，那就开始干活儿吧！

向日葵先生工作日志摘要

6月3日23点45分(地球时间)。设备的卸载工作结束，我和沃尔夫开始着手安装光学仪器，22点结束工作。阿道克船长和丁丁开始组装坦克。

6月4日8点30分。4点(地球时间)重新开始工作。天文望远镜已经固定在混凝土支架上。摄影机也安装完毕。经纬仪已能正常运作。

喂，喂，呼叫地球……我是向日葵……光学仪器和摄影机已准备就绪，可以运作。我们即将开始进行观测工作。

观测吧，我的朋友们；观测吧！你们的发现将会给我们带来巨大的利益！哈！哈！哈！哈！

向日葵教授工作日志摘要

6月4日21点50分（地球时间）。我和沃尔夫利用一整天的时间来研究宇宙光和观察离月球最近的行星。有关结果已经随时记录在1号和2号专用笔记本上。船长和丁丁也即将完成坦克的组装工作。

6月5日19点20分（地球时间）。船长和丁丁在半个小时以前向我们报告说，坦克已经可以投入使用了。

喂，喂，呼叫地球……我是向日葵。坦克已组装完毕。我们将进行初步的试验。我们的朋友丁丁将负责驾驶坦克。他现在已进入减压舱……

入口的活动盖子已经放下。此时此刻，朋友们正忙于给密封舱里充气。充完气以后，他们就可以脱下太空服，各就各位了。丁丁在驾驶舱，阿道克在瞭望室。

啊！丁丁的面孔出现在驾驶舱有机玻璃圆罩里……他在向我微笑，并打手势表示一切正常。

……我也看到了船长……他也通过手势向我表示一切正常……他戴上了耳机，并且……

喂，喂，我是阿道克……已经作好出发的准备。喂，丁丁，你可以起锚了。

祝你们一切顺利。

好的……出发吧！

真该死！你启动时能不能稍微稳当一点儿？

对不起……这是我第一次驾驶这样的车……

……但是，你难道没有看到我已经大有进步了吗？

喂，丁丁！天打雷劈！你开的是一辆坦克，而不是小摩托车……你要知道，我们这是在月球上，可不是在游乐场里。

我已经尽力了，可是……

稳住！千万当心！……

喂，我是丁丁……除了车子有些颠簸，一切正常。

天打雷劈！你不要指望我再光顾你这辆出租车了！

太可怕了！

停下，丁丁，看在上帝的分上！快刹车！……太糟糕了，我的话筒被扯下来了！丁丁听不到我的话了！……

天哪！一个大裂缝儿！……快刹车！

真危险！就差一点点！往前多走一步，我们就要跌进深谷了！……

该死！这一来又让我的头撞上了这个玻璃圆罩！……我受够了！我们回去吧。反正我们现在已经知道，坦克运行良好……而那个防护头盔是绝对不可缺少的！

我同意。我这就掉头回去。

向日葵教授工作日志摘要

6月6日13点40分（地球时间）。今天上午应载入科学史册。我们成功地直接测定了太阳辐射的恒量，并且精确地测定了太阳光谱在紫外线辐射中的范围。一个小时以前，准确地说，即12点35分，沃尔夫、船长、丁丁和米卢已出发到了普罗雷美斯圆谷去勘察。

喂，喂，这是坦克。车上一切正常。

待在这个干奶酪罩里真热呀！我简直要被熔化了……

好了……摘下头盔、喉头通话器这一套玩意儿，我感到好受多了。

你们看……那边是什么呀？

停车！

知道了，我这就停车。

在你们的左边，悬崖脚下……你们看！

34

那边，尖顶岩石的后面……

好像是一个山洞的入口。

我也是这样想……应该走进去看一看。

我同意。我去看看。你也陪我去吗，船长？

好的，我跟你去。

喂，沃尔夫……你说的没错，这的确是一个山洞的入口。

还想知道这山洞通到哪里去？……来吧，我先把灯亮起来。

见鬼！我这一生里干过不少事儿……可从来没有研究过月球洞穴学！

哎呀，我们好像走进了一座雄伟的大教堂！

石笋和钟乳石……这证明了在某个时期，月球上也曾经有过水。

米卢，米卢，别走远。乖乖地待在我们身边！

我才不听呢，这家伙把我当成什么啦？一只小狗，一只围着狗奶奶身边转的巴儿狗？……我是大人了，不是吗？

汪 汪！

天哪！一个深坑！它肯定掉下去了！

快，船长！抓住我，让我用灯照一下坑底。

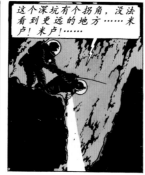

这个深坑有个拐角，没法看到更远的地方……米卢！米卢！……

快，船长，解开你的绳子，把它紧紧地系在一块岩石上。

你该不会是想下去吧……

没错。应该想尽一切办法把可怜的米卢救上来！请给我打个牢固的结。

好了……不过，你简直疯了！……

行吗？……

行！

求你了，丁丁，一定要小心！你知道，万一氧气管破裂了，那意味着什么……

是的，我知道……

啊！我刚在一个突出的岩石上站住了……米卢！米卢！

好了，你理智一点儿，快回来吧！你这样做一点儿用处也没有。你想想，它这样摔下去还能活命吗？……

不，我还要继续找。它可能只是受了伤。

裂缝儿越来越大，我还得继续往下走。

糟糕！绳子太短了，已经到头了……没法再往下了！

你这下明白了吧，你这头犟驴！……快上来，真该死！

你说得对。我这就上去……米卢！米卢！

船长……喂，船长……我好像看到有东西在动……我想松开绳子跳下去，坑底应该不会太远……

你疯了！别这样做，天打雷劈！

只好听天由命了！

是冰层！……

米卢!找到你了!……你没有摔坏吧?……你怎么啦?干吗不回答我的话……啊!我明白了,你的通话机不能用了。

喂,喂,船长……我找到米卢了!它安然无恙。只是它的通话机坏了。我这就回到绳子那边去。

丁丁以这个场可站的好在冰,你一直我了为溜上以着?……

看到了吧?我说什么来着?……

见鬼!怎样才能爬上这结冰的斜坡呢?看那上只有一个办法,就是用一块石头凿开一条路,踩着往上爬。好,动手干吧!

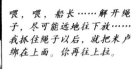
喂,喂,船长……解开绳子,尽可能远地往下放……我抓住绳子以后,就把米卢绑在上面。你再往上拉。

好的。

绳子下来了。

喂,船长,把绳子再往下放一点儿。我现在够不着,没法把米卢绑上。

好的。

绑好了。

过了一会儿……

喂,丁丁。行了……米卢已经脱离危险了。

喂,喂,丁丁……我在绳子末端系上一块重石头,然后放下去。

好的。不过你快一点儿,船长,我开始感到呼吸有些困难了。

我已经差不多放到头了。你看到绳子了吗?

不,我看不到……你快点儿呀,求求你!

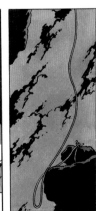

该死，这是怎么回事？……这绳子总不会比刚才还要短呀！

哦！可是……我感觉不到石头的重量……我明白了！石头肯定脱落了……或者，它在什么地方被卡住了。快，重新再来……

与此同时……

喂，喂，沃尔夫……怎么样，有消息吗？

喂，我是沃尔夫……还是没有消息……他们进入山洞已有半个多小时了。我想他们会不会，呵，他们出来了！

天哪！丁丁走路怎么摇摇晃晃的，像一个被打昏的拳击手。船长几乎是架着他走的……喂，船长，他受伤了？

幸好没有！这个孩子，一点儿力气也没有了，就是这样。

得救了！他们得救了！朋友们，我们来拥抱一下！

喂，喂，坦克呼叫。船长和丁丁已经回到车上。这回是船长驾驶坦克，因为丁丁已经筋疲力尽了。我们正火速赶回去。

几小时以后……

喂，喂，地球吗？这里是登月火箭，向日葵向你们报告。坦克已经回来，但它马上又要出发。这一次，坦克上有船长、杜邦和杜庞两位先生，还有我本人。我们此行的目的是系统考察丁丁发现的山洞，时间至少需要48小时。那里应该蕴藏有丰富的铀矿或镭矿。

呵，呵……这下，我感到"尤里西斯"行动已经进入到决定性的阶段，马上就有好戏看了！……

几分钟以后……

喂，喂，坦克呼叫……我们走了。再见！

喂，这是火箭。丁丁在说话……祝你们一切顺利，满载而归！……别让我长时间单独待在这里！

我是向日葵……放心吧，我们48小时以后就会回来的。

天打雷劈！不知道为什么，我总觉得，我们最好还是掉头回去……

好了，再见！我去修理一下太空服里安装的通话机……再见！

再见，丁丁！……再见，沃尔夫！……

吃饭的时间到了……我呃……我下到货舱里找一点儿东西，准备吃午餐……

好主意。我也饿极了……

要我跟你一起去吗？

不，不必……呃……不用麻烦你了……我一个人去就可以了。

是有点儿奇怪，沃尔夫变化太大了。原先在斯波罗吉工厂的时候，他总是满脸笑容，性格开朗。现在，他变成另外一个人了。是什么让他有了这样的变化？

我从没觉得人喜欢，我嗅觉很灵敏！

过了一会儿……

我把吃的东西都拿来了。

啊！要是有些骨头罐头就好了！

哦，糟糕！

怎么啦？……出了什么事？

呃……没什么……我忘了拿炼乳……我还得到货舱去一趟。

这不行。这回应该是我下去拿。

哦，太好了……谢谢你啦，你真好。

你一进货舱，就会看到面对着你的那个箱子。

我知道了。

他下去了……天哪！要改变主意已经来不及了……他已经下去了……就要进货舱了……

哈！哈！小子，你肯定没有想到，有一天，乔根上校会一直追到月球上来找你报仇！①

沃尔夫，嘿，沃尔夫……我完了了。你可以来了。

我……我就来……

天哪……你……你下手不会太重吧？

没有，没有，你放心吧。我只是让他……睡着了！现在，沃尔夫，我们回地球去！

什么？……你这是什么意思？……不等其他的人了？……

当然不等他们回来！告诉我，多少时间火箭才能起飞？

不行，我们不能这样做！……把他们丢在月球上，这等于判了他们的死刑……这可是可怕的罪行呀！……

得了，得了！别说这些好听的话，我亲爱的沃尔夫！尤其不要对他们发善心！……一句话，我要离开这里，就这样。

哦，不！我拒绝！我不想成为这罪恶勾当的帮凶！

哦！丁丁上来了……

沃尔夫，我的好老弟，你好好儿听着。就算我们可以等他们回来，并在他们离开减压舱回到火箭的时候，把他们一个一个都制伏了……很好，然后我们带着俘虏离开这里回到地球。可是，氧气，嗯？沃尔夫，氧气呢？……

氧气储备是供四个人用的，而我们有七个人……结果会怎样呢？很简单，到达目的地以前我们都要死掉……这就是你想要的吗？……你回答我呀！……很好，我看到你变得稍微理智有一点儿了。跟我来，我们上去，准备出发。

汪！……汪！……嗷……☆☆☆砰！……嘣！……

喂，喂，丁丁吗？……坦克呼叫。你那边的嘈杂声是怎么回事？……

喂，我是沃尔夫。我……嗯……没有什么……呃……丁丁下到底舱去了。而米卢非要跟他去不可。现在它已经老实一点儿了。

的确，它真的彻底老实了！

① 原注：参见《奥托卡王的权杖》。

⑩

啊?……你这是干什么呀?……这小动物碍你什么事呀?……

谁知道呢!这可恶的畜生可能会给我们制造麻烦……

这下好了……现在,老兄,你去给我准备一顿热饭热菜!差不多有一个礼拜,我只吃一些干硬的三明治,我受够了!还不快去做饭!

然后,我们就飞回地球了。哈!哈!哈!我真想看看他们在发现火箭已经不在时是怎样的一种表情!一定很好笑!

喂,沃尔夫,饭快好了吧?我饿得不行了。

快好了……我……一会儿就得……

喂,喂,坦克呼叫……

坦克出了故障。马达的电池没电了。可能是短路……船长正在接上应急小电池组,这样我们就可以回去了……

坏了,他们快回来了!应该赶紧离开这里!放下你的锅碗瓢勺,沃尔夫……我们马上起飞!

马上起飞?……不可能。发动机起码半个小时才能预热起来!

笨蛋,你怎么不早想到这一点?……快去,你还等什么?……

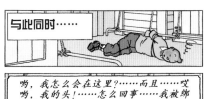

与此同时……

哟,我怎么会在这里?……而且……哎哟,我的头……怎么回事……我被绑起来了!!!出了什么事?……

我一点儿也不明白。我……这是什么,哪来的隆隆声?……天哪!是发动机在预热……这么说……这么说……火箭要起飞了!……

其他的人,他们在哪儿呢?……像我一样,也成了俘虏?……除非……让我想想……可怜啊!他们早就乘坦克离开了,他们会不会被抛弃在月球上?……沃尔夫,沃尔夫,救命呀!

喂,喂,坦克呼叫……我们正在返回的路上,低速前进……我们看到火箭了……喂?喂?……

快了吧?

还要一刻钟。

喂,喂,坦克呼叫……喂,登月火箭吗?请回答……喂?喂?……

哟,真奇怪,活动舷梯收回去了……而减压舱的……门也关上了!这是什么意思?

喂,沃尔夫,好了吧?

不,还不行……

还有10分钟。我现在即使按下这个按钮,我们也起飞不了。应该等到仪表盘中间那个红灯亮了才行……

喂,喂,坦克呼叫……我们很快就要到了……请放下舷梯,并且准备好打开减压舱门……喂?喂?

我告诉你,这个天打雷劈的火箭里肯定是出了一些怪事!

好了吧,到底行不行?

差不多了……还要3分钟就可以了……

喂?喂?……怎么不回答呀,见鬼!喂!喂?……

喂,喂,坦克呼叫登月火箭……坦克呼叫登月火箭……喂?……喂?……

注意了!准备好!我要按下按钮了!

糟糕！火箭！你看……它要起飞了！

不！……它又落下来了……发动机熄火了！

天哪！火箭没有平衡落地……它在左右摇摆……很快就要向一边倾倒了……

不！上天保佑，它垂直立住了！……是哪个疯子启动了起飞装置？

该死！我们又掉回了地面！……这到底是怎么回事，沃尔夫？

我……我一点儿也不明白。开始时，火箭正常升起，可是发动机突然停止工作……我无法解释……

是哪个可恶的麻脸汉这样胡搞瞎闹？我得上去狠狠地教训他一通，该死的家伙！

啊！我一下明白了，沃尔夫……你感到良心上过不去……如果是你破坏了启动装置，我发誓，一定要你付出沉重的代价！

我？……破坏？……我怎么会这样做？……你要干什么？……不！不！

你听着，沃尔夫。我数到10……如果数到10，我们还没有真正起飞，我就一枪打穿你的脑袋！

喂？喂？……丁丁？……沃尔夫？……你们倒是回答呀，好吗？……打开舱门让我们进去，天打雷劈！

4……5……6……
饶命呀！求求你！饶命呀！……

7……8……9……

10! ……火箭还是没有起飞……那就怪你自己了。沃尔夫! 我开枪了……

哎哟!

丁丁!

是我! ……打搅你了? 十分抱歉! 是的，我本应该先敲门再进来的……好了，你们两个都给我站起来，举起手来!

我们又见面了，不是吗，波利斯上校。从你阴谋背叛你的主人西尔达维亚国王那些日子以来，你没有什么改变呀。

对了，你指责可怜的沃尔夫破坏了火箭的起飞装置……我很遗憾，你错怪他了：菲魁祸首，是我。

丁丁，丁丁，你在哪儿?

我在这儿，船长，你快来!

真该死! 这个怪物是从哪里掉下来的? 从月球上?

不，是从底舱里钻出来的。在我们的朋友沃尔夫的掩护下，他一直躲藏在那里……我把他们交给你，你先把这两人好好儿捆绑起来，等其他人上来，好吗?

啊，向日葵先生来了。你过来，教授，这位绅士很想认识你……

先生，你是谁? 你在这里干什么?……

这么说，就是为了给这个天打雷劈的兵痞子保留他那份氧气，你才连一小袋烟也不允许我抽，是吗，沃尔夫?

我还是先跟你们明说了吧。你们别在我的身上浪费时间了，我是不会回答任何问题的。还是问问沃尔夫吧，这个臭潮虫会很乐意对你们说明事情的来龙去脉。

看在上帝的分上，告诉我，沃尔夫，这是什么意思? ……出什么事了?……我真弄不明白，这是个误会，是吧……沃尔夫，你说话呀，把事情说清楚……

我是个浑蛋……我是个浑蛋……

丁丁! 丁丁! ……快来!

44

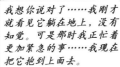

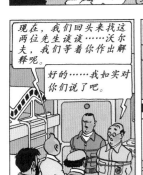

还有那具骷髅，沃尔夫，也是你搞的鬼吧？

是的，那具骷髅，也是你搞的鬼吧，沃尔夫？快回答呀！

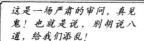

这是一场严肃的审问，真见鬼！也就是说，别胡说八道，给我们添乱！

好了，沃尔夫，你接着说吧……

后来，多亏了丁丁，你们的敌人劫持实验火箭的企图没有得逞，你们在空中把它引爆了。可是他们却认为是我背叛了他们，因而威胁要杀死我……后来他们听说你们制造了这枚火箭，便给我下达了新的指示……说从耶拿运来的一个箱子，经过改装后，里面会藏匿一位记者……而我的任务，只是给这个人提供一些方便而已……

而你竟然相信这鬼话！……见鬼去吧，你这个伪君子！编造这样的故事给一匹木马听，它也要狠狠踢你一脚的！

呃……他们告诉我，火箭一旦登上了月球……他就要露面了……

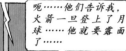

因此，我们一到目的地，我就趁大家都离开火箭的时候，到他藏匿的地点找到了他。他就是乔根。他向我透露了他真正的使命，那就是劫持这枚火箭，飞回地球，但不是回到斯波罗吉，而是飞到他为之效劳的那个国家……

还有两个细节要问你，沃尔夫……还有差点儿把我们砸死的那个货箱。这也是你干的？

肯定是的！……有一回你正好站在我身后，并假装头晕，其实你是想把我推到太空里去，嗯，你这个强盗！

而我，一直充分信任你！……哦！沃尔夫……

今天，只有丁丁一个人留在火箭上，而你们都出去了，要在外面待上48小时，上校决定趁机采取行动。当丁丁下到底舱的时候……

这就是说，你在我之前下到底舱，目的是为了把你的同伙先放出来，然后再骗我下去。

好，接着说吧。

是的，全部抖搂出来，叛徒！

呃……是的……我一直留在这里，是他把丁丁打昏的。只是在这之后他才明确告诉我说，要把你们抛弃在月球上……我向你们发誓，我曾试图阻止他这么干。

我相信你的话。事情的经过应该就是这样……我醒过来以后，发现自己在底舱里像香肠一样被绑着……听到发动机的隆隆声，我才意识到要出事了……对我们来说真是幸运，这两个很有意思的人从来没有参加过童子军。

我的意思是说，他们不知道怎样才能打好绳结！因而我不费什么劲儿就挣脱了绑绳。不过真的很危险！那时候，发动机刚刚启动！……火箭也已经升起来了。我很快就割断了所有连接发动机的电线，机器一下子就停了，火箭于是回落到了地面。

就这样，多亏了丁丁，我们才得救了！

得救？……唉，可怜的朋友们，我担心你们高兴得太早了！……

46

当然，割断电线，丁丁排除了最坏情况的发生……可这是暂时的。唉，火箭在降落时可能受到了严重的损害，要修复可能很费时。还有更严重的，是一直存在的氧气问题……不过，让我们的朋友把话说完……

我说到哪儿了？……啊！是的。火箭一回到地面，我就打开减压舱的门，把活动舷梯也放了下去，好让你们可以进来。然后，我找到了一把手枪和一个扳手，悄悄地爬了上来……到了这里，正好碰上他们两人在争吵。

这个家伙指责沃尔夫破坏了火箭启动装置，还要开枪打死他。我扔过去的扳手打落了他手中的枪。非常及时，亲爱的乔根！因为你好像不再是波利斯上校了！

怎么，你认识这个类人猿？

哦，是的，我们曾经在西尔达维亚见过面，在奥托卡王权杖事件中跟他打过交道。他那时名叫波利斯，是穆斯卡十二世的副官，可是他无耻地背叛了他的国王……那时候，我打赢了第一回合。第二回合，差点儿让他得了手……

现在，我们把这两个狡猾的家伙关进下面的货舱里……

什么！我们正面临缺氧的危险，怎么能够让这两个强盗挤进来跟我们抢氧气？！……他们曾经想要把我们遗弃在月球上。这些该死的家伙，就应该得到这样的下场！

我们总要表现得比他们更有风度吧，船长……快去，你是专家，带他们下去，把他们结结实实地绑起来。

随你的便！不过，我可以预言，你将为这个高尚的行为感到后悔。记住了，你要后悔的！

不管怎么说，我的小羊羔，我这就用铁丝给你编织一件漂亮的小背心，穿上它它会很暖和的！真该死！还是手工做的，质量绝对有保证！……

你爱怎样处置我都行。不过，请你行行好，说话时别唾沫四溅，喷我一脸！

！！

什么？……我？……唾沫四溅？……真该死，你竟敢……我一生风风光光！现在竟然遭到这个兵痞这般辱骂！……

冷静一点儿，船长，冷静一点儿！

冷静，我能冷静吗？……你听见这个……这个臭屁虫说的话吗？……他居然骂我唾沫四溅！……要我冷静！你真会开玩笑！

向日葵有那个东西。

是的，我这就去找。

好了，船长，这件事就让它过去吧。你快把这两个犯人带到底舱吧。

是的，快去吧。我抓紧时间向地球报告发生的情况。

喂，喂，登月火箭呼叫……这里刚发生了极其严重的事件……有个为某大国服务的间谍秘密地登上了火箭……

……沃尔夫是他的同谋！是的，沃尔夫！……他们今天采取了行动，企图劫持火箭。幸好，我们成功地把他们制伏了，而且……

与此同时……

好了！要是你们能够自己把绳子解开，我发誓今后滴酒不沾，光喝白开水，该死！

几分钟以后……

事情办好了。这两大块腊肉已经放进冰柜了！

很好。朋友们，你们听我说……

……我刚才检查了一下火箭遭受损失的状况。我初步估计至少需要四天的时间才能完成修复工作。

此外还要加上返回地球的时间……可是我们的氧气最多只够维持四天。这就是说，即使我们拼了老命做到重新启动火箭，可是在到达地球的时候，我们很可能都断了气，变成了一堆尸体。

这是可能的！可是，我们现在都还活着！我们得马上开始工作，不惜一切代价在最短的时间里把火箭修好！

喂，喂，登月火箭呼叫。我们就要开始修复工作。请你们给我们放些音乐，以鼓舞士气。

喂，喂，这是地球。明白。我们马上给你们播放克洛广播电台的节目。加油呀！

好了，好了，别唉声叹气了，干活儿吧！不要悲观失望。我们就可以听到音乐了！……天打雷劈！没有什么比音乐更能给人以力量！

……这里是克洛广播电台，下面请听塔尼·斯卡拉交响乐团演奏布朗热的《等待死亡》。

几天过去了……在这个死寂的星球上，夜色缓缓地笼罩这片荒凉的大地……

48

喂，喂，登月火箭呼叫……工作进展顺利。除非出现意外情况，一切将于中午结束。只是我们不得不把坦克和光学仪器都丢弃在月球上，因为拆卸和搬运将耗费太多的时间，而我们剩下的氧气不多了。

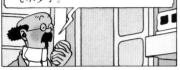

我们要回收的，只有记录仪器和摄影机，当然还有坦克里的氧气瓶，那是我们最后的贮备了。丁丁和船长已经下去找回这些器材。现在我将中断我们的谈话，以便可以随时跟他们保持联络。

明白。

喂，喂，丁丁吗？……我是向日葵……情况怎么样了？……

喂，喂，一切顺利！可是太阳已经完全消失了，只有远处的几处高地还亮着。

可这并不影响我们看清周围的事物，地球的亮光多么美妙呀。

在地球♪的亮光下♪我们起舞 砰 ♪ 砰 ♪ 砰♪

我在坦克里还留下了一封信，写给在我们之后一天会来到这里的人们。如果我们的生命和器材毁于一旦，这封信将见证第一批踏上月球的人的神奇经历！……现在我们回火箭去吧。

——一切准备就绪，教授。

很好，我也结束了修复的工作。地球刚给我传送过来他们测算的结果。起飞时间定在16点52分……我们大概还有两个小时的准备时间。

我建议你们都回到各自的床铺休息，以节省氧气的消耗。不过，船长，你先下到底舱去，让那两个犯人趴下。这样他们不会太受罪，当……

什么！！！是不是还要把早餐送到他们床边你才满意？！……

把他们留在火箭上，已经够荒唐了！还要像对婴儿那样哄着他们，这也太过分了，真该死！……好吧，我下去。

忍耐一下！谁输谁赢还不知道呢……嘘，好像有人来了……

喂，喂，这是地球。注意啦，作好准备！

还有30秒……20秒……10秒……9……8……7……6……5……4……3……2……1……0！

听天由命吧！我来按按钮……但愿一切运转正常！……要不然，大家都要死！

太好了！……太妙了！……我们升空了！

真该死！这样一折腾，我们又要晕过去了！

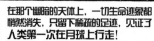
在那个幽暗的天体上，一切生命迹象都悄然消失，只留下稀疏的足迹，见证了人类第一次在月球上行走！

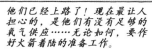
他们已经上路了！现在最让人担心的，是他们有没有足够的氧气供应……无论如何，要作好火箭着陆的准备工作。

喂，是着陆场地吗？……你是古瓦内里吗？我是巴斯特……如果一切正常，火箭将在四小时以后降落。请事先作好各项准备工作：消防队、救护车等……还要准备好几把电锯，万一他们已经没有力气自行打开舱门，可以派上用场……——一会儿见。

你看，巴斯特先生，好像有点儿不对头！你瞧，火箭偏离了原定的飞行轨道。我不知道是不是……

见鬼！你说得对……也许起方向舵作用的射流偏导装置在火箭下落时变形了……要么是他们的陀螺仪失调了……他们应该立刻校正航向！呼叫他们，瓦尔特！

喂，喂，这是地球……喂，喂，这是地球……登月火箭，请回答！登月火箭，请回答！……

没有回答！……火箭偏离得愈来愈远了！可怜的人！他们正在向死亡飞去……

喂，喂，登月火箭吗？……喂？喂？……

喂，喂，登月火箭，请回答！……喂喂，喂，登月火箭，请回答！

喂，喂，登月火箭吗？……

喂，喂，登月火箭吗？……

啊！真可怜！……又白白消耗了氧气了，天哪，他们的氧气不多了，可不该这样浪费呀……

嗯！……他们回应了！

喂，喂，登月火箭呼叫地球……我是丁丁……我刚恢复知觉。

喂，喂，这是地球。请立刻校正你们的航向：你们已经完全偏离轨道了……

明白！

快！教授，快！到驾驶舱去！我们偏离轨道了！……

喂，你们急急忙忙跑到哪儿去呀？

嘿，等着我，我来了！……出了什么事？

天哪！灾难临头，我们正在飞向木星！

肯定有个射流偏导装置卡住了……但愿……啊！校正过来了！

喂，我是登月火箭导航装置刚才出了故障……现在火箭已回到正确轨道上来了！

喂，喂，这是地球……很好！你们现在的飞行方向完全正确！

好了！我们可以下去了。我可是吓坏了！

现在沃尔夫这个假兄弟已不在这里败坏我们的兴致了，我们来放松一下，压压惊。我来敬大家一杯。

对了，那两位警察跑到哪儿去了？……

这不，我正要给你们带来他们的消息呢！……

快！都举起手来！……就这样，很好！……形势改变了吧，诸位先生?！恭喜你们，那两个留小胡子的家伙真不愧是你们卓越的合作者!……

哈！哈！哈！……他们跑过来检查我们身上的绑绳，认为改用手铐会更加保险!……这倒是真的，我很怀疑他们现在会有什么办法把手铐取下来！

话已经说得够了！诸位，你们很清楚眼下的处境：剩下的氧气已经不够大家用了……因此这里的人当中，有些是多余的！你们饶了我的命，可 我饶不了你们的命！

可是……可是，你向我发过誓，不会伤害他们的性命！

你太天真了！居然相信了我的话，让开！我要把他们干掉……

啊，不！乔根……你不能这样做!……绝对不能!……

你怎么啦?……还不赶快放开我?……

你松手不松手……快松手！……快松手呀，你这个畜生！

别松手，沃尔夫！

砰！

喂，喂，这是地球！……喂?……出了什么事?……我们好像听到一声枪响……喂?

完了，没救了！……

喂，喂，我是向日葵……我……太可怕了……乔根，他成功地解开了绑绳……他要杀死我们！沃尔夫上前阻止他，他们扭打了起来……乔根手上有枪，在扭打中，枪走了火，子弹打中了乔根的心脏……

我……我不是有意的……是他自己……

我知道，沃尔夫……对于刚发生的事情，你不要自责……这是你的眼镜……你回到我们当中来吧，像以前一样做你的事。我信任你。

什么!!!这个空中强盗，这个蹩脚的太空人！……你还给他自由！好让这条毒蛇……一有机会就从背后捅我们一刀！……该死！把他关进底舱，给他戴上手铐和脚镣!……

可是……我……我这是怎么啦?……

我知道，是因为氧气越来越稀少了……而你又那么激动……

是的，船长，冷静一点儿，求你了！

你爱怎么办就怎么办吧！但是如果因为沃尔夫这条毒蝎，而让我们遭到灾难，那只能怪你自己！我可不负任何责任！

你放心好了，不会有什么事的，我可以为他担保。现在，我们最好都回到床铺趴下，这样可以节省一点儿氧气……

可是首先应该把两位警察解救出来……而这家伙的尸体，该怎么处理呢？

把他扔到太空里去，这是唯一的办法。

几分钟以后……

喂，喂，地球呼叫……你们现在的速度为每秒25公里。距离起飞地点有50,000公里……火箭上情况怎么样？

喂，喂，这是登月火箭……氧气越来越稀少了……呼吸变得很困难……不过，目前还能忍受……

我的伙伴在床铺上各个都昏昏欲睡了。我则强打精神不让自己入睡……

喂，喂……你不要硬挺。放松一点儿，去睡觉吧。有必要进行火箭翻转操作时，我们会叫醒你们的。

时间在流逝……

这回，我看可以了……大家都睡着了……是个好机会……

但愿不要有人醒过来！……没有，太好了……

嘿，沃尔夫，你上哪儿去呀？

嘘！小声一点儿！我要到底舱去……呃……我想那儿还有一个氧气瓶……

啊，好吧……

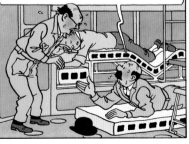

你知道，我之所以问你，那是因为船长要我向他报告你的一举一动。

真没想到，他竟然没有发出警报！……老天有眼，它让我成功此举！

呼……呼……

半小时以后……

喂，喂，地球呼叫登月火箭……喂，请回答！……喂，喂，登月火箭，请回答！……喂？……喂？

喂……喂……喂！喂！

什么？怎么回事？……啊，是无线电呼叫

喂，喂，我是丁丁请讲！

啊，好了！刚才我好担心呀！……

请作好准备……一刻钟以后，要进行火箭翻转操作。

明白。我们马上去作准备。我去叫醒其他的人。

嘿！……大家都起来！穿上磁底鞋。一刻钟以后，火箭就要翻转了。

真倒霉！又要让我们耍起那些讨厌的杂技了！……我刚刚还梦见我回到了莫兰萨城堡家里，坐在火炉旁，手里抱着一只小猫……然而，这回又要……

沃尔夫！……该死，沃尔夫在哪儿？……他的床铺是空的！

别担心，船长，我知道这家伙上哪儿去了。几分钟以前，他下到底舱去了……

你怎么能让他就这样走了，你这个大麻脸？！……我不是交代过你要好好儿盯住他吗！！！

是的，我是紧紧盯住他不放，不过他自己亲口告诉我说他要下到底舱去……

你也一样！总要扮演一个宽宏大量的英雄角色！……天知道，这个歹毒的家伙会在下面搞什么肮脏勾当来对付我们？！……

快，到底舱去看看！也许还来得及……

要是你那位好朋友心血来潮，想来个漂亮的打靶练习，我们可不正好是他绝好的靶子！……

这个浑蛋藏到哪儿去了？……

天打雷劈！看那儿！……我跟你说什么来着！……

干什么？……我要喝光这瓶威士忌！天打雷劈！……都说烈性酒是慢性的杀人毒药……不管怎么慢……

……对我都无所谓！要等多长时间才死，就等多长时间！我并不着急！……

好了，船长，别再喝了！回去睡觉吧！这可不是酗酒的时候！

为什么不是时候？该死！……你们不是说过，火箭上的烈性酒，是为紧急状况准备的？……你们是不是这样说的？……那么我就不能……

我们的结局，十有八九，不，是十有九八，会像鳕鱼那样活活儿地憋死在帽盒里！……这难道还不是紧急情况，你说呢？

你要小心，船长，我要提醒你，在公路上酗酒可是违法的……好了，睡觉去吧！

你……你们……两个孬种……我并没……没问你们的老祖母会不会骑自行车……喜帕恰斯圆谷，那个公园马戏团那时需要两个小丑。你们本来应该待……待在那里才对！

这次，我们要求你表示道歉！

是的，我们对你的要求表示道歉！

好了！……好了！……一个对四个，我认……认输了……

半小时以后……

喂，喂，登月火箭呼叫……我们呼吸极其困难……从太空服里取下的最后一瓶氧气也已经用完了！……我的同伴卧在那里，失去了知觉……我不知道我们会不会活着回去……

喂，我是巴斯特。坚持下去，小伙子！你们只剩下最后80,000公里的行程！要用一小时多一点儿的时间。振作起来，我的朋友，一定要挺住！

谢谢……巴斯特先生……我会尽力……坚持……到底……可是……可是我……

……我恐怕没……没有力气了……永别了！……永别了！

永别了！……是的，没错！让你们各个都死在上面吧！乔根和沃尔夫没能得手！我们既然搞不到你们这个不祥的火箭，那就让它带你们见鬼去吧！

火箭以梦幻般的速度继续冲向地球，飞行了近一个小时……

喂，喂，登月火箭吗？你们只剩下10,000公里的行程了……请开始准备校正自动驾驶装置

喂……我是丁丁……明白……我……我这就去……想法子……叫醒教授……

教授！嘿，教授！……我们快到了……你醒醒……应该校正自动驾驶装置了……

教授！看在上帝的分上！……求求你啦！……没办法，一点儿办法也没有。他毫无反应……我们的下场会怎样呢？

无论如何，我……自己来试试看……只剩下我一个人还……唉！我快要憋死了……

但愿……我能走到梯子……那边去……

我终于到了！可是……我还有没有力气爬上去……

我……感到头晕！……真受不了！……

喂，喂，这是地球……你在驾驶舱吗？

好……再加把劲儿……

喂?……喂?……

我差不多到了……

喂，喂，这是地球……喂，登月火箭吗?……你们赶紧校正自动驾驶装置……喂？喂，听到了吗?……

喂，喂……请回答！……喂?……喂?……

喂，喂，地球呼叫……喂，喂?……快回答呀，求求你了！……一分钟也不能耽误！……大难临头了！

喂，喂，看在上帝的分上，丁丁，你回答呀！

没用！……他一定昏过去了，快，瓦尔特，把音量尽量放大，越刺耳越好……只有这样，才能唤醒他们的知觉。

好的，我试试看！

什么？……对了……对了……对了……我……自动驾驶装置……

我……喂……我是丁丁……停止……这些噪音……我正忙着校正自动驾驶装置。我……我想……我调好了。

很好，差一点儿就来不及了！

喂，喂……你真行，丁丁！现在，你快回床铺卧下休息，你还有力气吗？……喂，喂？喂？喂？

他又昏过去了……顾不了他了！……最要紧的工作完成了……我马上赶到着陆地点去。

好的。我会随时用无线电向你报告情况。

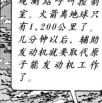

观测站呼叫控制室。火箭离地球只有1,200公里了。几分钟以后，辅助发动机就要取代原子能发动机工作了。

……火箭离地面只有900公里了……

行了……原子能发动机刚刚停止运转……辅助发动机很快就要自动启动……怎么啦，出了什么事？……

槽糕！……辅助发动机没有启动！……火箭像火流星一样向地面冲过来了！……他们将被摔得粉身碎骨！……

太好了！辅助发动机终于启动了！……他们得救了！……20分钟以后，火箭就要着陆！

但愿他们都还活着！

与此同时，在着陆地点，大家都在翘首天空，焦急地等候火箭的出现……

看到了！看到了！

天哪！……那边！……你们看！有辆车进入了跑道！……

槽糕！是巴斯特先生的车子！……他们肯定没有看见火箭正在着陆！……火箭很可能会砸在他们的头上……他们不是被压扁……就是被活活儿烧死！

开快一点儿，司机……我们一定要在火箭着陆之前赶到隐蔽所！

危险，火箭！停车，司机，快停车！

哎哎哎

喂，这是消防队……火箭刚刚着陆……巴斯特先生的汽车被一股浓烟遮住了，看不见……

……我们担心汽车是不是烧着了人……而车上的人，不！不！他们在那儿！

啊！巴斯特先生，你可真把我们吓死了！……没受伤吧？也没烧着吧？

没事儿……火箭呢？……快呼叫火箭！

喂，喂，登月火箭吗？……喂，喂，你们着陆了！……把门打开，喂，喂……喂？

喂，装配塔就要进入现场了。喂，我再说一遍，把门打开！

没有回答……应该在火箭外壳上锯开一个洞来，把电锯拿来！

过了一会儿……

快一点儿！……

好了，锯开了！

现在打开减压舱的门！门可以从外面打开……

好了……天哪！一点儿声音也没有……我觉得好像走进了一座坟墓……

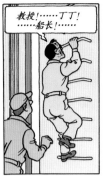

教授! ……丁丁! ……船长!

天哪! 我们会不会来晚了一步? ……他们各个卧着, 一动也不动! ……喂! 喂!

教授! ……醒来吧, 教授! ……教授! ……一点儿办法也没有! ……

马上把他们都抬到外面, 给他们戴上氧气罩! 行动要快! ……我去照看丁丁, 他一定还在上面的驾驶舱……

几分钟以后……

见效了! 他的眼睛睁开了……

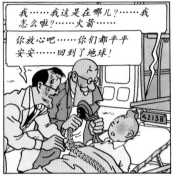

我……我这是在哪儿? ……我怎么啦? ……火箭……

你放心吧……你们都平平安安……回到了地球!

平平安安……回到了地球……回到了地球……是真的吗? ……可我的伙伴呢? ……还有米卢?

教授和两位警察已经脱离了危险。米卢也一样。……可是……

可是?

你的船长朋友……是的, 唉! 他的情况要严重得多……我甚至担心……

什么, 你这是什么意思? ……他在哪儿? ……

他在那儿……那儿……在担架上……

我的天哪!

船长! ……这不可能! ……船长!

船长! ……船长! ……是我, 丁丁! 看在上帝的分上, 醒醒呀! 我们回到了地球! ……船长!

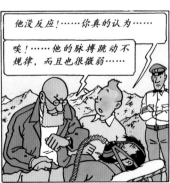

他没反应! ……你真的认为……

唉! ……他的脉搏跳动不规律, 而且也很微弱……

有什么办法呢! 这个人的心脏极度衰竭……而这一点儿也不奇怪, 如果他跟我说的情况是真的。他好像喝威士忌喝得很凶……

什么?! ……我没做梦吧! ……我听得很清楚! ……这里有人刚刚提到了威士忌! !

61